ZHONGGUOJIEYI

中国结艺 ④

陈必琴 编著

广州出版社

前 言

　　结艺是人们日常服饰的一个重要组成部分，是伴随着人类服饰的发展而逐步变化、日益丰富的。它虽然只是服饰的附属部分，但是能达到画龙点睛、令人耳目一新的效果。我国的结艺源远流长，其制作方法、材质、图形等都有着鲜明的民族特色和严格的制作工艺。其生动的造型、优美的形式感以及色彩的和谐搭配都受到广大人民群众特别是年轻人的喜爱。不少爱美的年轻人总希望用自己灵巧的手把看来平平无奇的、五颜六色的丝绳变成一件件神奇、精巧、实用的家居或个人用品。

　　本书通过深入浅出的介绍，向广大读者展示了一些基本的结艺技巧，书中附有大量典型的制作范例。对结艺有兴趣的朋友只要认真阅读，反复实践，举一反三，就可以轻松地学会制作，而且会创作出既令人赏心悦目又美观实用的结艺作品来。

　　愿结艺进入更多人的生活，愿更多的人成为结艺的创作大师！

编者
2001 年 5 月

目 录

材料与工具

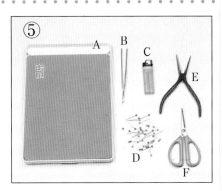

①各种线材 ②铁圈、手链夹
③玉石配件 ④四角形珠、大肚珠
⑤ A 针板（用途：用珠针将线固定
于其上，便于打结。）B 镊子 C 打
火机 D 珠针 E 钳子 F 剪刀
⑥血珠⑦琉璃珠

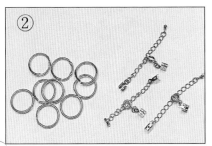

打结的基本技巧

　　初学者刚开始动手之前，应先将图解看清楚，然后再开始编制。编制时，绳头由于反复穿拉容易发毛，因此应在绳线两端用打火机将头烧一下，或用胶带将端头粘成尖头形，以便于穿拉。修饰、调整是编制中很重要的一环，因此，做好一个结体后，要将其调整规范，按照自己所设计的造型固定。

　　当结体调整满意后有几个具体问题也需要注意：

　　1. 藏线头：有些结体比较小，又较为松散，所以必须将线头藏在结体里，可用热熔法接好头再藏于结体内。

　　2. 暗缝：有些结体容易变形或松动，这时需要用同色的细线暗缝在整个结体里，可保持结体不变，扣环牢固。

　　3. 穿珠子：完整的结体饰品需要配一些珠子和流苏来加强以艺术效果，但所镶的珠子必须配合结体的大小以及所配结体的颜色，才能达到满意的艺术效果。

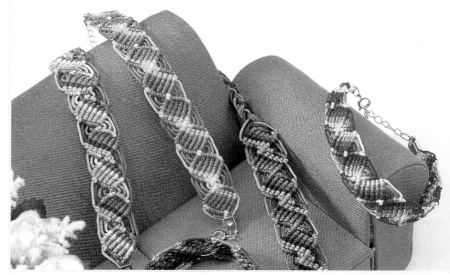

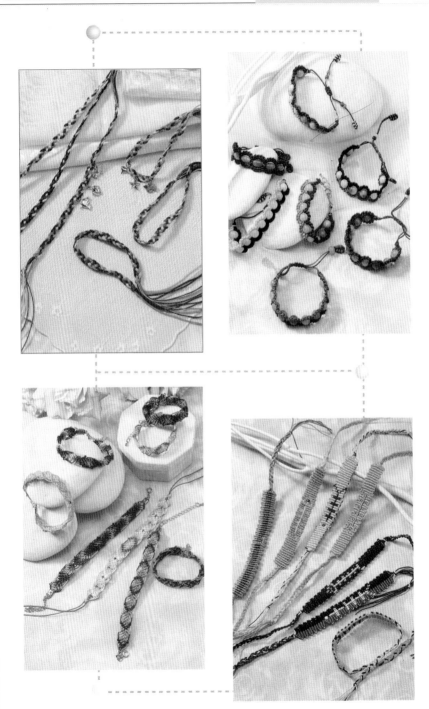

古朴之美项链

①高升结（见 37 页）套箍（见 38 页）绕线法（见 47 页）
②盘长结（三角蝶翼变化）八股变化编法（见 44 页）
　套箍（见 38 页）绕线法（见 47 页）
③八股变化编法（见 44 页）套箍（见 38 页）

都市风情项链

①十字结（见 48 页）四股麻花（见 44 页）秘鲁结（见 45 页）

②金刚结（见 46 页）

③绕线法（见 47 页）八股变化编法（见 44 页）套箍（见 38 页）

古香古色项链

①盘长蝴蝶结（见42页）金刚结（见46页）发财结（见47页）
②八股变化编法（见44页）套箍（见38页）绕线法（见47页）
③十字结（扭转）（见48页）套箍（见38页）绕线法（见47页）

广结善缘项链、挂饰

①金刚结（见 46 页）

②盘长结（见 39 页）绕线法（见 47 页）

③八股变化编法（见 44 页）

④盘长结（见 39 页）蛇结（见 46 页）双联结（见 51 页）

景泰蓝项链

①双联结(见51页) 磐结(见52页) 平结(见51页)
　纽扣结(见49页)
②套箍(见38页) 八股变化编法(见44页) 绕线法(见47页)
　盘长结(六角变化)
③八股变化编法(见44页) 套箍(见38页)

11

缤纷世界挂饰

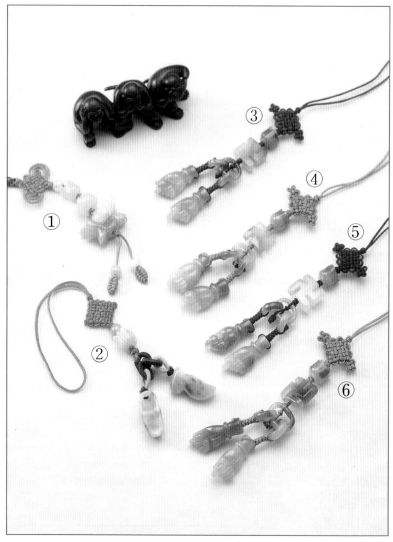

①发财结(见47页) 十字结(见48页) 盘长变化复翼结(见40页)
②盘长结(见39页) 双联结(见51页) 绕线法(见47页)
③盘长结(见39页) 酢浆草结(3耳)(见56页) 双联结(见51页)
④盘长结(见39页) 酢浆草结(3耳)(见56页) 双联结(见51页)
⑤盘长结(见39页) 酢浆草结(3耳)(见56页) 双联结(见51页) 蛇结(见46页)
⑥盘长结(见39页) 酢浆草结(3耳)(见56页) 双联结(见51页) 蛇结(见46页)

金玉满堂挂饰

①吉祥结(见53页) 双联结(见51页) 酢浆草结(3耳)(见56页)
　纽扣结(见49页)

②斜卷结(见71页) 双联结(见51页) 纽扣结(见49页) 发财结(见47页)

③磐结(见52页) 发财结(见47页) 十字结(见48页)蛇结(见46页)

④盘长结(见39页) 酢浆草结(2耳)(见55页) 发财结(见47页)
　双联结(见51页) 纽扣结(见49页)

⑤盘长结(见39页) 双联结(见51页) 发财结(见47页)

⑥盘长变化复翼结(见40页) 金刚结(见46页) 绕线法(见47页)
　双联结(见51页)

平平安安首饰

发财结（见 47 页）平结（见 51 页）

①秘鲁结（见 45 页）纽扣结（见 49 页）

②三股麻花（见 44 页）平结（见 51 页）

③三股麻花（见 44 页）纽扣结（见 49 页）

　　平结（见 51 页）戟结（见 60 页）

金枝玉叶项链

秘鲁结(见45页)
发财结(见47页)
纽扣结(见49页)
平　结(见51页)

护身保平安项链、手环

秘鲁结(见45页)　发财结(见47页)　纽扣结(见49页)　平结(见51页)

发财结（见 47 页）纽扣结（见 49 页）吉祥结穿珠（见 65 页）

好运相连钥匙扣

发财结（见 47 页）
纽扣结（见 49 页）
如意结穿珠（见 61 页）
元宝结穿珠（见 63 页）

心有灵犀手环

制作图见 67 页

网住幸福手环

制作图见 68 页

六六大顺手环

制作图见 69 页

两情相愿幸运手环（1）

制作图见 70 页

两情相愿幸运手环（2）

制作图见 70 页

有凤来仪胸花

团锦结(见57页) 双联结(见51页) 酢浆草结(3耳)(见56页)

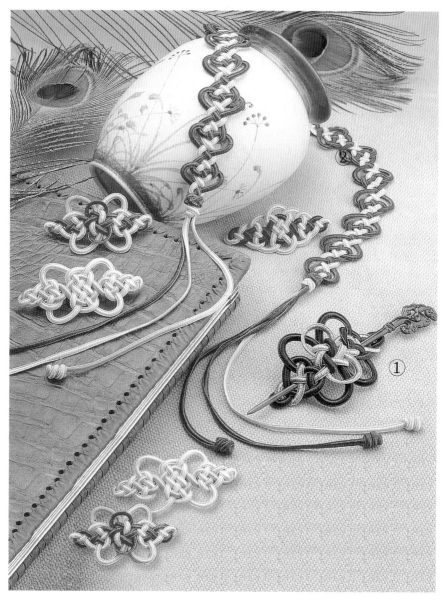

佳人有约饰物

①淑女发簪制作图见 72 页
②双色腰带制作图见 73 页

天长地久挂饰

盘长结(变　化)
吉祥结(见53页)
团锦结(见57页)

中国娃娃挂饰

盘长结（变　化）
吉祥结（见 53 页）
团锦结（见 57 页）

海誓山盟挂饰

盘长结(变 化)
团锦结(见57页)

异国风情挂饰 盘长结(变 化) 团锦结(见57页)

美人卷双帘

①蝴蝶结(见74页)
②吉祥团锦变化结(见75页)
③瓶插银柳——秘鲁结(见45页)

还君明珠挂饰

盘长结（变 化） 团锦结（见57页）

飞舞的心幸运胸针 ◀------------

4号线 230 × 4条

制作图见 76 页

材料:6 号线 90cm×3 条挂线
　　　金线 90cm×1 条轴心
　　　金线 45cm×1 条
　　　6 分别针一支

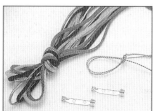

虾钥匙圈 ◄ - - - - - - - - - - - - - - - - -

制作图见 78 页

材料:5 号/95cm×1 条 85cm×2 条 75cm×2 条
　　　5mm 活动眼睛 1 对
　　　单圈 1 个
　　　8mm 铃铛 2 粒
　　　金线 20cm×1 条

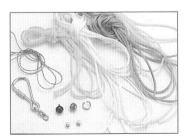

鲽情依依项链、挂饰

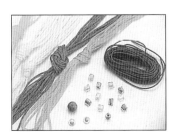

制作图见 81 页

材料:流苏线/深色 4 条 巾浅各 2 条 米色 8 条

（每条约 90cm）

挂饰/玉线 A 3 尺×1 条　1 尺×1 条

大珠 1 粒

小珠 8 粒

钱蛙招财物

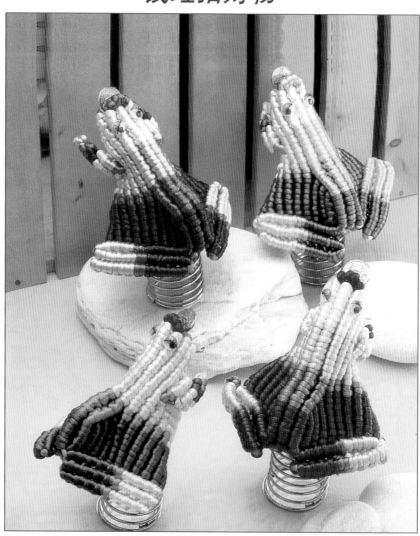

制作图见 84 页

材料:5 号线 90cm×2 条　75cm×1 条 172 (深橘) (上嘴)

　　　5 号线 50cm×1 条　40cm×1 条 172 (深橘) (下嘴)

　　　5 号线 100cm×4 条 540 (浅黄)130cm×1 条 525 (橘黄)

　　　50cm×3 条 525 (橘黄)150cm×4 条 172 (深橘) (身体)

　　　5 号线 50cm×4 条 (四色每色各一条) (手)

　　　活动眼 6mm 一对　弹簧一个　金币一枚　6 分铃铛一个

仙鹿摆饰

制作图见 87 页

材料:身体/4 号线
　　　前脚/10 尺×16 条
　　　后脚/4 尺×3 条　3 尺×5 条
　　　耳朵/5 号线 3 尺×2 条
　　　鹿角/5 号线 6 尺×4 条　　100cm×8 条
　　　包线/2 号线　3 尺×1 条
　　　铁丝/18 号 10 支

35

一帆风顺摆饰

帆　/网目结(见 59 页)
船身/高升结(见 37 页)

高升结

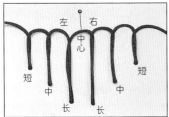

① 取线的中心处，左右先做两排由上而下的长直套，再各做 1 中、1 短的直套。

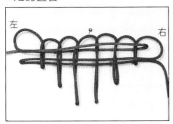

② 取左线（绿）做横套（全上全下包住上述 6 个直套），再取右线（红）做捏套（进入 6 个直套中）。

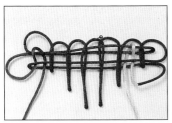

③ 绕下左右线各做由下而上的直短套（先进、后包），如图示。

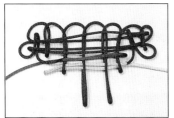

④ 同步骤②，左线（绿）做横套（包住 4 个直套），右边线（黄）则做捏套（进入 4 个直套中）。

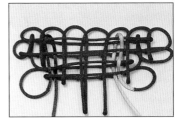

⑤ 同步骤③，左线（绿）、右线（黄）两边各做直套（进、包各两次）。

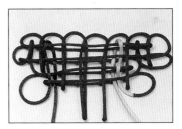

⑥ 再做左线（绿）、右线（黄）边的横套（包 2 直套，右进 2 直套）。

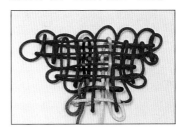

⑦ 最后做左右边的直套（进、包各三次），调线后即完成。

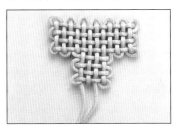

⑧ 图中为正高升结，本文因设计成项链，少做下方倒数的两层。

注：进套——穿过两线之间。
　　包套——上下包住两线。
　　捏套——右线捏套。

套箍

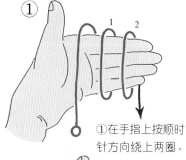

①在手指上按顺时针方向绕上两圈。

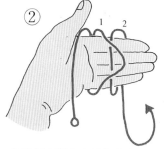

②拉起 1 朝右方压在 2 上。

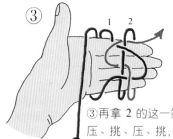

③再拿 2 的这一端线头向上压、挑、压、挑，拉出。

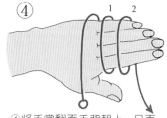

④将手掌翻面手背朝上，另面（也来一次）。

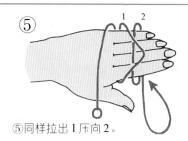

⑤同样拉出 1 压向 2。

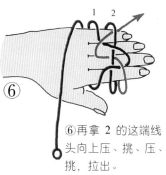

⑥再拿 2 的这端线头向上压、挑、压、挑，拉出。

⑦将线圈逐一收紧合体后穿入烧黏，成一套箍的尺寸，用步骤⑥的方法，再跟线一次。

注：把套箍套在所需之处，可以活动或用黏剂打硬固定。

盘长结

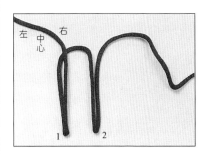

①先做直立的1、2两直套,如图。

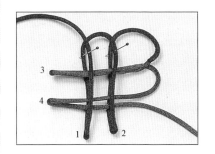

②再取右边线,做右边的3、4两排横捏套,3、4进1、2。

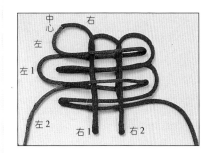

③换回左边,取左线做左1、左2两排全上全下横套,即左1、左2包右1、右2。

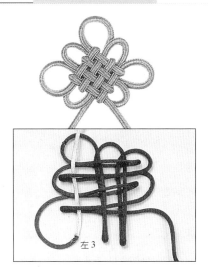

④再取左线做左3的直套,口诀:遇右线进,遇左线包。此口诀应记住。

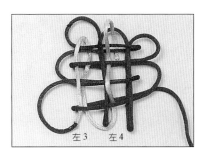

⑤左3直套做完再同步骤④,做左4直套。

⑥最后将线调整即成。

盘长变化复翼结

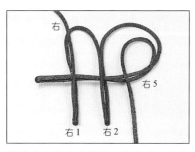

①线中心处由右开始，做右1、右2直套，再如图绕一圈继续朝左做捏套成为右5横套（先做）。

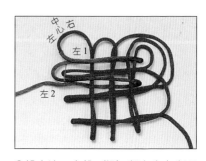

④换左边，左线（绿）朝左全上全下做左1、左2横套。
换边时，注意预留所需的线长。

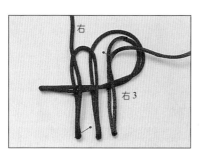

②又做一个右2边的直套右3（绿），先绕一圈由上往下，进右5。

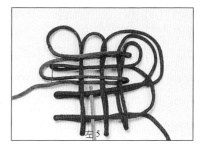

⑤左线（黄）由下往上，注意：正在做进右6与右5的情形。

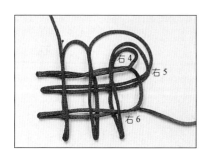

③同条线（绿）做捏套，如图做成右4、右6后，暂停。

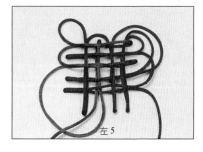

⑥继续往上（黄改绿），包、进、包形成左5（先做）的直套。

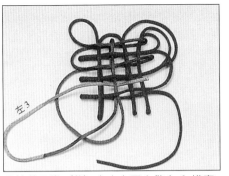

⑦接着又绕（黄）向由左而右做左 3 横套，先包右 1、进左 5、再包右 2 与右 3（此处要注意）。

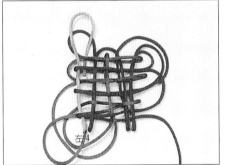

⑧预留翼线，左线（黄）做由下往上最左边直套左 4，进包如图示。

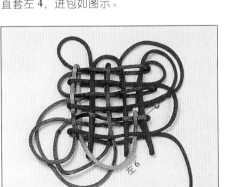

⑨重复步骤⑧，再将左线（黄）拉至右 2、右 3 间，完成左 6 直套。

⑩调线合体的完成图，上方先预留一个圈打一个双联结。下方也打双联结。

盘长蝴蝶结

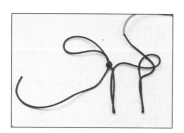

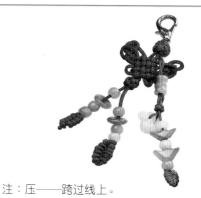

①线中央打一双联结固定（预留长度可假设为此圈），右边起朝下做一套（右1）后将线扭一耳，再做第2个直套（右2）。

注：压——跨过线上。
　　挑——穿过线下。
　　进套——穿过两线之间。
　　包套——上、下包住两线。
　　捏套——右线捏套

②再走线压、挑、压、挑、压的绕个圈，并预留右翼线。

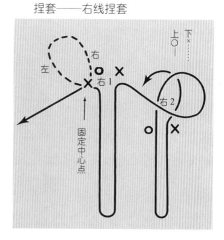

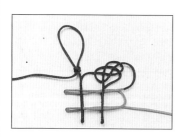

③接着做向左走线的捏套（进右2、右1）成为右3、右4的横套，暂停。

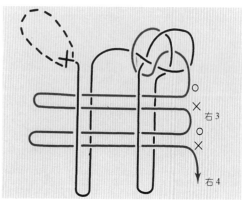

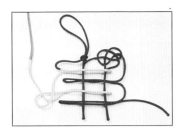

④换做左边，取右线（黄）朝右做一个全上全下横套（即左1包右1、右2），同样扭一耳，与右边对称，再做一个相同的横套左2。

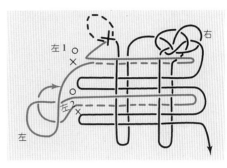

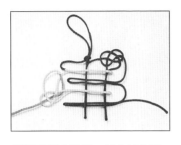

⑤同步骤2对称，耳上加个圈。

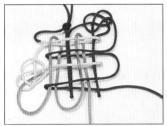

⑥继续朝上依序做左3、左4的直套（进、包、进、包）。

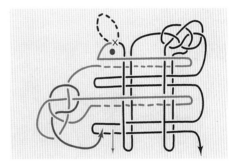

⑦完成如图（图下方加一双联结固定）。

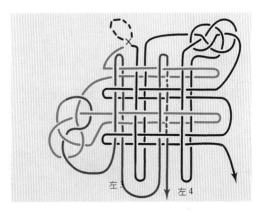

八股变化编法

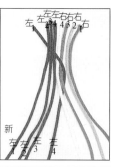

① 拉出左边第 1 条线，绕压右边包右 3 及右 4，回到左边，形成新左 4。

③ 再换左边，拉图②的新左 1（原左 2）绕压右边包新右 3 及新右 4，又回到左边，形成新左 4。

② 换右边做，拉出右 1 线，绕压左边包左 3 及左 4，回到右边，形成新右 4。

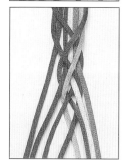

④ 换右边做，一样拿右边第一条绕压左 4、左 3 回到右边。与步骤①、②、③ 相同的方法。如此左右左右轮流，依序重复接着做，至所需的长度即完成。

三股麻花

① 左线压中间线。

② 右线压中间线（一次三股编）。

③ 如此形成新左、中、右线，重复①、②步骤编至所需长度。

四股麻花

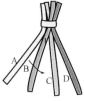

① A 线压在 B 线上。

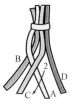

② C 线压在 A 线上。

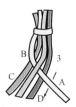

③ 拿 D 线挑 A 线（在 A 下，拉紧后即为一次四股编）。

④ 如此形成新的 A、B、C、D，重复①~③步骤，编至所需的长度。

秘鲁结

左手　　　　　　　　　　　　　　　　右手

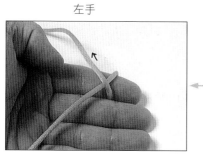 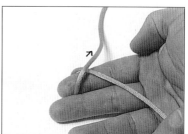

① ① 由前往后绕圈。 ①

② ②由指尖往内绕圈。 ②

 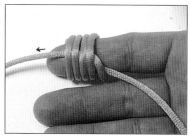

③ ③由掌心朝外穿出拉紧即可。 ③

45

金刚结

①绿线逆时针绕在红线上（与蛇结相同），左侧的两结体则为秘鲁结。

②将红线用手指压紧，再拿红线头，穿过绿色线环。

③拉紧后，重复做下去，形成如图。

蛇结

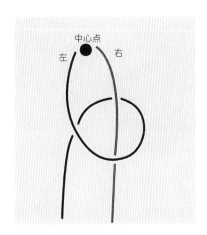

①在适当处取中心点，左线逆时针由上往下绕，包右线。

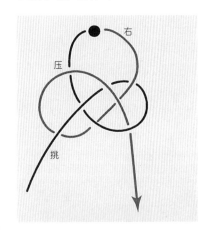

②再取右线往左顺时针绕，如图示挑、压穿出后拉紧。

注：蛇结与金刚结的结体看似相同，作法则不一样。金刚结不会拉动，蛇结可以活动，所以在做项链时使用金刚结的固定性较佳，不会久戴后变长了。

发财结

①如图示，线作逆时针会绕个圈，压、挑、压后往下穿出。

②线接着作顺时针方向挑、压穿过中心区。

③线以逆时针方向朝下绕过另一边穿出，再顺时针同步骤②穿过。

④顺时针 4 次，逆时针 5 次绕好后，拉紧整理、烧黏、固定即成发财结，大小可增减绕线次数。

绕线法

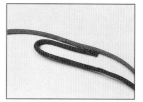

①特细玉线先弯折约 4cm。图中绿色为粗玉线，红色为特细玉线，示范时用粗线。

②用手捏住，以粗玉线当支干，将细玉线由手指外往内依顺时针方向绕（弯折圈被手指捏住）。

③继续由手指外往内绕线（须整齐、紧实）。

④绕约 1cm 长后，将线穿入原先弯折而形成的圆圈内（长度可随喜好自由选择）。

十字结

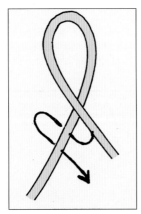

① 先做一个绳端朝下的环，
再把左侧的绳子放到右侧
的绳子上。

② 上面的绳子穿过下面的
绳子下面，做成一个小环。

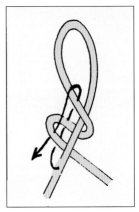

③ 左侧的绳子先穿过大环，
接着再穿过小环。

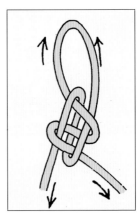

④ 上下拉，把中心拉紧整
形。

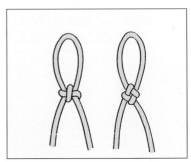

⑤ 完成图。

纽扣结 (单线)

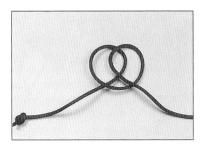

① 如图，先绕逆时针两圈，第二圈在上面，左侧的结视为起点。

④ 拉紧修整成一个单线纽扣结。

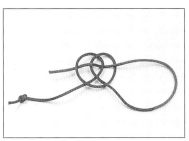

② 拿右线朝左方压、挑、压、挑穿过去，形成如图的红色线部分。

⑤ 当项链完成时，打两个纽扣结收尾有伸缩长短的功能。图中手心处已完成一个，接着做第二个。

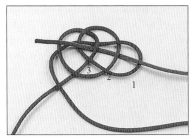

③ 拿同一条线头拉至右边，再朝左压 1，挑 2 与 3，从中央穿出来。

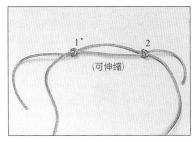

⑥ 如此两个纽扣结之间可活动伸缩（余线剪去烧黏）。

纽扣结 (双线)

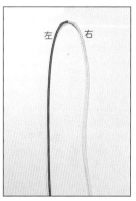

① 剪接处为中心点，黄色为右线，红色为左线。

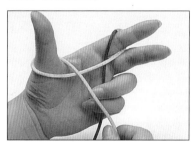

② 中心点挂在食指上，右（黄）线绕在拇指上做个圈。

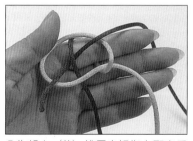

③ 先将右（黄）线圈自拇指上取出后向前翻面并用拇指夹紧，再取左（红）线由右上方如图所示，压、挑、压穿出来。

④ 再拿左（红）线经过右（黄）线尾下方绕过，再从右上方（线的后面）向中央穿出来。

⑤ 换拿左（红）线经过右（黄）线尾下方绕过，再从右上方（线的后面）向中央穿出来。

⑥ 自食指取下，将线拉紧整理，即成纽扣结。

双联结

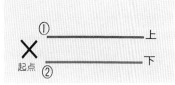

①找出适当位置，准备编结。1、2两线平行分上下。

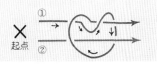

②1线由上往下由2线后方再往上绕打结且暂不拉紧。

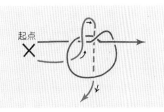

③取2线由上往后方绕下来（虚线表示在后面）。

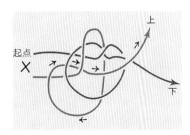

④继续将2线向左上方近起点处跨过，按箭头指示穿出来，再交叉拉紧上下线即成双联结。双联结也可用于收尾固定。

平结

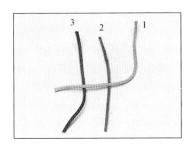

①以2为轴心线（绿），先将1（黄）线左弯。

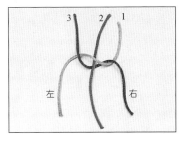

②再取3（红）线朝右方压1后挑2（轴心）线，如图所示再压1线拉紧，就完一个双线平结。

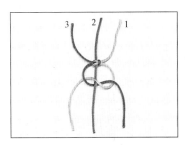

③重复步骤做至所需长度，剪去多余的线并烧黏固定。可将被收尾用的项链或手环尾线交叉当做轴心2，再拿两条线做1、3包覆住2，做成可松紧活动式手环。

51

磐结

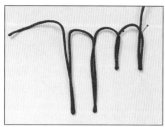

①取线的中心点后，右线由上往下朝右做2行直（长）套，2行直短套。

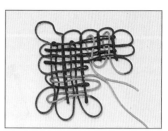

⑤如图，右线（黄）由下往上。左线（黄）由左而右，同④口诀，各做两个横、直的短套。

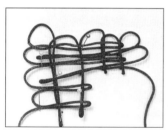

②同一条线（绿）捏套(进4个直套中间)做2排横套，暂停。

⑥将线调整即完成。

③换做左边，拿左线（蓝）做朝左边全上全下（包4个直套）的两排横套及（包两个直套的）两排短横套。

倒磐结

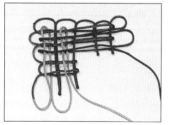

④左线再拉成由下而上做两个直套。方法口诀：遇右线进，遇左线包。

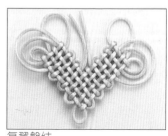

复翼磐结

吉祥结 (单线)

单线 (顺时针)　　　　　　　　　　单线 (逆时针)

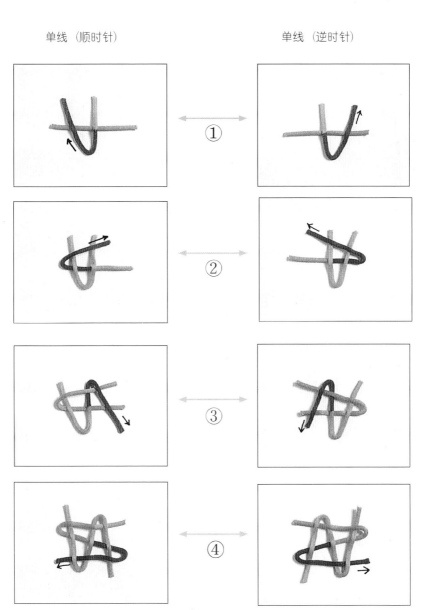

① ② ③ ④

四角的线头拉紧后，形成吉祥结体，用途广。

吉祥结 (双线)

①

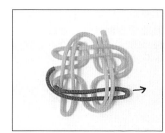

⑤

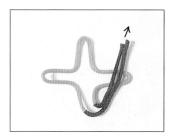

②

⑥

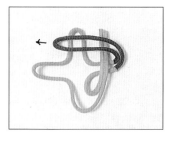

③

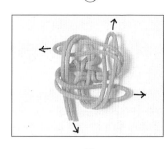

⑦

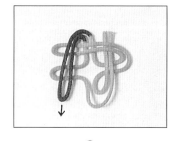

④

⑧

酢浆草结 (2耳)

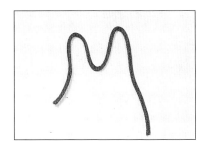

①将线捏套，捏成两个。

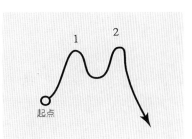

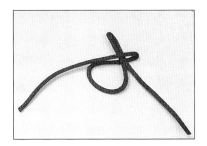

②拿 2 套进（穿入）1 套。

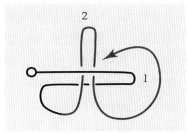

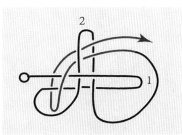

③再拿线头如图示先进套，再包套。将
线拉整即成。

④完成图。

酢浆草结 (3耳)

① 同 2 耳，见前页的步骤，先做两个捏套，再拿 2 套进 1 套。

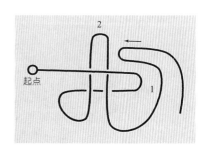

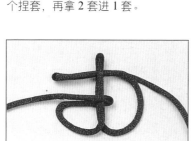

② 线头再捏一套进 2 套，形成第 3 套。

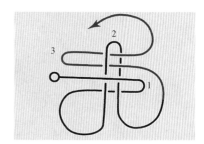

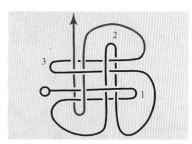

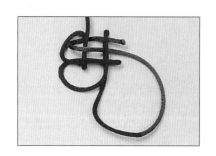

③ 再做进 3，包 1（靠起点这边）后，将线拉紧，整理后即成。

④ 完成图。

团锦结

注：●中心，○上，×下

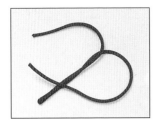

①由左而右走线，先由上往下1套、右线再绕回朝左上走。

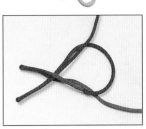

②做右2套、全上全下包右1套。

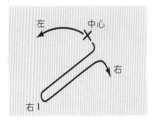

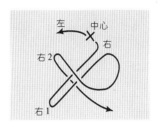

③同条线再朝上走，绕下后包1、2套成右3套，右线暂停。

④换做左边，取左线捏套进右2、右1套的中间，做成左1套，左线再朝右走。

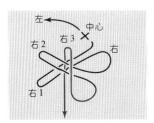

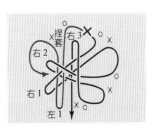

⑤左线进右 1、左 1 的中间，再包右 3 后面，做成左 2 套。

⑥同条线再进左 1、左 2 的中间，包后面两套，成左 3 套。

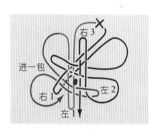 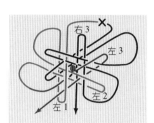

六耳（实心）

⑦调整成完成图。
六耳团锦口诀：逢洞进，过洞包。

十耳

十二（星辰结）

团锦结
（正蝴蝶）

八耳
（菊花结）

十耳空心团锦

网目结

①先做 A 环，再于右侧做一个 B 环。

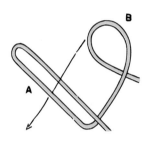

②在最初的 A 环中，把 B 环保持环状穿过去。

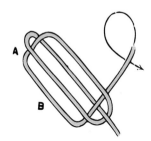

③ A、B 环如图般整形，再做一个环。

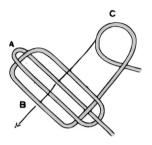

④把 C 环保持环状照箭头方向穿过去。

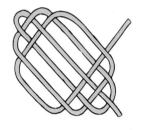

⑤整形。

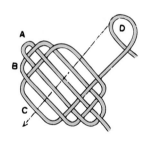

⑥D环也同样穿过去，以下就重复着这种顺序。

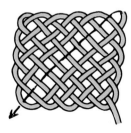

⑦最后把上面的绳子穿过去（用镊子夹着穿）。一边是把从正面看不见的地方粘起来，剩下的绳子剪掉；另一边卷到背后粘起来，剩下的绳子也是剪掉。

戟结

①中心处先编一双联结，左右各编 2 耳酢浆草结。

②接合两耳酢浆草结。

③再编一个双联结。

④左右再各编一个 2 耳酢浆草结（上耳与上方结体的耳沟连）。

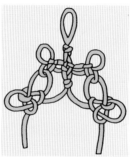

⑤再同步骤②结合。

⑥结合后形成如图。

⑦再编一个双联结使之牢固，即完成。

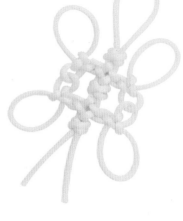

如意结穿珠

如意结由数个酢浆草结组合，结体似如意，带有称心如意、事事如意与吉祥的寓意。

③做结合酢浆草的结编，参考附图说明，以右边预留的 5cm 线段作右内耳，已编成的酢浆草结为外耳，以下包右内耳。

①先打一个纽扣结（亦可用双联结取代），两线各穿入 3 颗玉珠准备。

②预留 5cm 的线段再左右各编 3 耳酢浆草，玉珠则安排在 3 个外耳上。

附图。

④左边预留的 5cm 线作左内耳穿过右内耳。

⑦返回的线头由上方回穿左内耳中拉出。

⑤左边下端线穿过左内耳。

⑧将线整理后,结合酢浆草结完成,形成如意结。

⑥再由下经右外耳穿出,再返回。

⑨左右两边的线各由两边的酢浆草结体之下外耳穿出,再如完成图,编一个纽扣结修饰。

元宝结穿珠

元宝结因结体状似元宝而得名，由数个酢浆结组合变化而成，故有如意之象及招财寓意。

③左右两线均完成 2 耳酢浆草结，与纽扣接间预留 5cm。

①先编一个纽扣结，左、右线各穿入一颗珠子，在珠子两边捏两耳。

④预留的 5cm 处捏耳，参考酢浆草结编法。

②如图所示，穿珠处为外耳 1，参考 2 耳酢浆草编成此结。

⑤如图示形成 2 耳酢浆草结的如意结体。

⑥如图示，左右两线各穿向两酢浆草结的外耳，留出适中大小的耳翼，视为内耳。

⑨取左线穿入左内耳，由下经过。

⑦再以步骤④、⑤的方法，编结做结合，图示为右线包右内耳，形成右外耳。

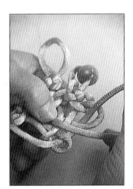

⑩再从右外耳中穿出后返回，形成左外耳。

⑧将左内耳（进）穿入右内耳。

⑪返回线由上而下回穿左内耳，完成结合，整理后，元宝结告成，完成图下方另加一纽扣结。

吉祥结穿珠

吉祥结是中国古老的装饰结，象征祥瑞。常出现在僧人的袈裟上、庙里的帐幔上，也称庙宇结。

③ 以逆时针方向 1 压 2（1 预留空间）。

① 做吊饰时先编个纽扣结或双联结，双线平行而下在约 12cm 处用珠针固定，各穿入珠子。

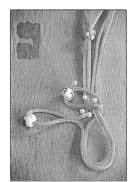

④ 2 压 3。

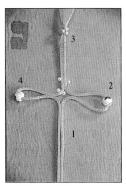

② 如图示，做成十字形，使用珠针做定点。

⑤ 3 压 4。

⑥ 4 则穿过 1 的空间里，调整至所需位置将 1 拉紧。

⑦ 1~4 线再平均拉紧。

⑨拉出内外耳，拉紧结体时手应压住中心，以防松脱，吉祥结完成。

⑧再按步骤 ③~ ⑥ 的方法，以顺时针方向再做一次，调整后形成如图。

⑩可将两线尾编发财结，即成为一个不错的吊饰。

心有灵犀手环

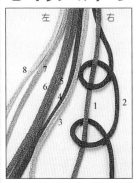

①以右边第1条（绿）线为轴心，拿第2条（红）线做顺时针方向往下绕两圈，要注意每个动作完后均得将线拉紧。

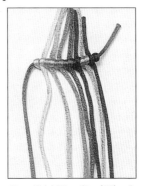

②一样以同一条（绿）为轴心，依序将3~8条用步骤①方法做完第一层。

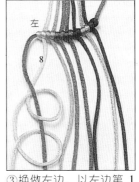

③换做左边，以左边第1条（还是绿色）线为轴心，拿左数第2条线（即原8、黄）做逆时针方向往下绕两圈，继续由左至右依序将7~2条做至如下图的第二层。

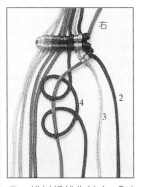

④一样以绿线为轴心，拿右2（紫）做顺时针往下绕两圈时，开始调整斜度，斜角角度见图⑥，将右边的第3、4条（顺时针绕）做完。

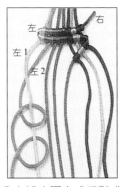

⑤上述步骤完成后形成如图情况，右边暂停。换左边做，以目前的左1（黄）为轴心，左2做逆时针方向往下绕两圈，并依序将3、4做完。

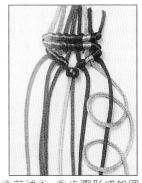

⑥前述①~⑤步骤形成如图所示。接着取中间两条线穿入珠子后，再拿右边第1条当轴心，相同于步骤①~⑥的作法完成，再穿一颗珠子。

⑦特写图。图中所示为上述①~⑥步骤。重复编至所要的长度，用平结加上四股麻花的编法增加美感。

网住幸福手环

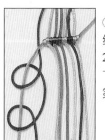

①先以右边第1条(绿)线为轴心,再依序拿2~8条做顺时针方向往下绕两圈后拉紧,做完第一层。

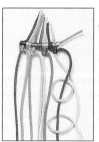

③上个步骤做完后形成如图,再以第1条(红)线为轴心,第2条(粉红)线及之后依序往下绕(同步骤①),形成第二层如图④。

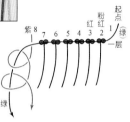

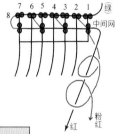

②新形成的第1条为粉红色,作为轴心,拿第2条(红)线做顺时针往下绕两圈后拉紧完成一组。接着以同样方法将3、4一组,5、6一组,7、8一组做完形成中间网。

④与步骤②相同做法,1、2为一组,3、4为一组,5、6为一组,7、8为一组;右线为轴心,左线各绕两圈形成两中间网如下图。

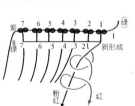

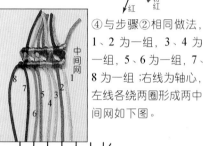

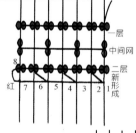

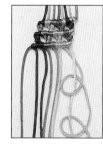

⑤又同步骤③,以第1条(橙)线为轴心,第2条(黄)线及之后依序做完,形成如图的第三层。接着重复前述步骤,做至所需长度收尾。

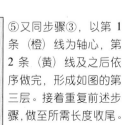

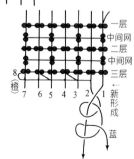

六六大顺手环

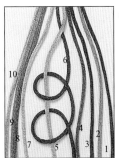

① 先将线固定好，以中间的第 5 条（浅蓝）线为轴心，拿第 6 条（紫）线顺时针方向由上往下绕两圈后拉紧。用同样方法完成第 7、8、9、10 条，形成如下图左一层。

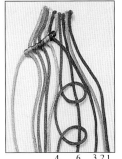

② 再换做右边，以第 6 条（紫）线为轴心，拿第 4 条（蓝）线逆时针方向由上往下绕两圈后拉紧。相同的方法依序完成第 3、2、1 条，形成如下图右一层。

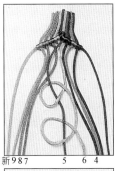

③ 接着要做六层，以第一层中间第 5 条（蓝、原 4）线为轴心，拿左边的第 6 条（粉红、原 7）线做顺时针方向往下绕两圈，并继续做完第 7（桃红）8（橙）9（黄），形成左边第二层。

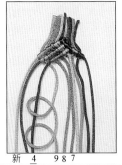

④ 取第 4 条（红）线为轴心，同上个步骤方法，拿第 6 条（粉红）线及 7、8、9 依序做完左边第三层。

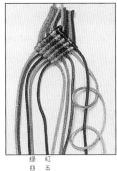

⑤ 接着拿第 3 条（绿）线为轴心，同步骤④方法做完。第 4 层再拿第 2 条（红）线为轴心，同方法做完第 5 层。图中为正向第 6 层迈进（以深紫为轴心）。

⑥ 上个步骤完成了六层，接着以图中的左边第 1 条（浅蓝）线为轴心，拿第 2 条（深蓝）线做逆时针方向往下绕两圈，并依序由左至右做完。左侧的红、绿、红，正好与右上一层相呼应。

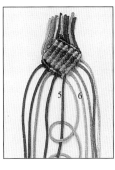

⑦ 右图即为一片六层锦，接着以目前中间第 5 条（深紫）线为轴心，拿第 6 条（浅蓝）线……重复步骤①~⑦，作至手环所需长度。

⑧ 收尾时可采用手链夹，亦可将头尾线先用双联结固定，再用三股麻花编成辫子状，也有另一种风味。

两情相愿幸运手环

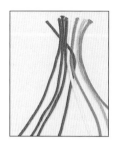

①拉出左边第 1 条线，绕压右边包右 3 及右 4，回到左边，形成新左 4。

②换右边做，拉出右 1 线，绕压左边包左 3 及左 4，回到右边，形成新右 4。

③再换左边，拉图②的新左 1（原左 2）绕压右边包新右 3 及右 4，又回到左边，形成新左 4。

④换右边做，一样拿右边第 1 条线绕压左 4、左 3 回到右边，与步骤①、②、③相同的方法。如此左右、左右轮流，依序重复接着做，至所需的长度即完成。

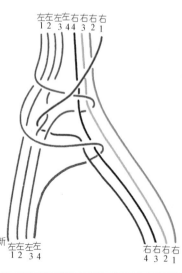

注：○在上方走线
×在下方走线

右线做法

① 先做第一套直线，再做第二套拍套，接着继续做3、4套。

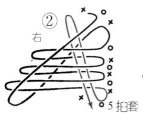

②做第五套拍套。

左线做法

③左线做全上、全下第一套。

左 ④

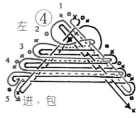

④再做左边第二套，压、挑、压，再重复3、4套，接着做第5套，遇到右线时进，遇到左线时包。

斜卷结

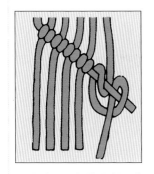

①为使用六线编卷结，先将六线平行固定住，以左边第1条线为轴，第2条起由左而右依序如图示绕两圈。

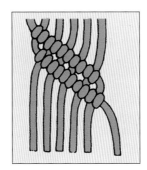

②接着以第2条（成为左边第1条）为轴，之后的五条线依序同上方法编结，记住：左边的卷结为顺时针方向绕线。

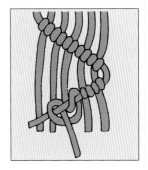

③图中下半段示范由右至左编斜卷结，方法同上，只有绕线时为逆时针方向，才会形成左右对称。

淑女发簪

①两线各取中心点交叉压挑。

②将深色线摆金线下方。

③打边线头往右走，挑、压、挑、压，再调出所需的形状。

④四个线头交错，打一个 6 耳团锦结后，再重复上述动作，但方向相反。

⑤对照上方做对称线结体。

⑥收线时先收里面的一条，也是金线部份，两线烧粘黏。

⑦最后将深色线头同样方式烧黏即可。

双色腰带

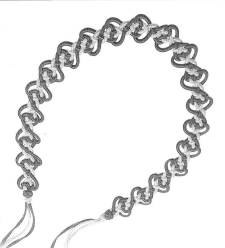

①深浅 2 条取中心点先固定后，再同发簪打法打一个结。

②深浅各交叉压挑 1 次，即可调出心形式样。

④重复上述动作正心拉紧，倒心放松，即可做出无限长腰带，收线时先打 1 个纽扣结，再收掉部分线头。

③同样结体再打 1 次便可出现倒心型。

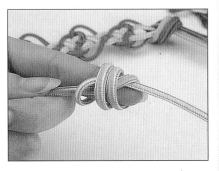

⑤垂下来的线头打秘鲁结即可收线烧黏。

蝴蝶结

③卷完所需长度后，打双联固定。

① 4 号线打个双联结后取金线打个死结，先固定两条线。

④打第二边时，须记得将死结打开，两边都卷好后，便可将 4 号线烧黏，留金线即可。

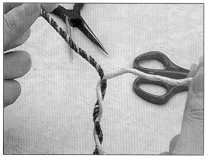

②两线同方向转，让二者卷在一起。

⑤结尾的地方打双联结固定即可。使用方法即是上面的圈勾在墙上，两线包住窗帘，打个蝴蝶结，既简单又别致。

吉祥团锦变化结

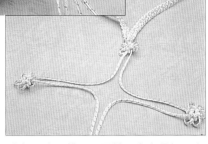

④两条线皆打好后，便打双联组合再收掉两个线头。

①取一长一短两条互烧一个圆圈后开始交叉编结。

⑤打一个双线 6 耳团锦，左右各打 2 个单线 6 耳团锦。

②以互交叉压、挑的方式，编至我们所需的长度。

⑥中间打吉祥结组合、调整。

③长度足够后便先收掉 2 个线头，留 2 条出来即可。

⑦最后将流苏绑上去即大功告成。

75

飞舞的心幸运胸针

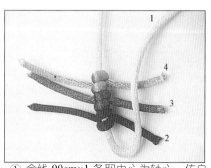

① 金线 90cm×1 条取中心为轴心，依自己喜欢的颜色，将其余三条以双套结方式挂上，并将 1 往上拉直。

②以 1 为轴，右边依 2、3、4、编顺时针斜卷结。

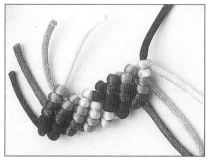

③再以 3 为轴往上直依 3、4、1、编顺时针斜卷结，连续往上编 6 次顺时针斜卷结。

④再以第 2 条为轴往下如图，亦连续编 6 次顺时针斜卷结（大翅膀完成）。

⑤以第一条为轴再往上编 3 次顺时针斜卷结。

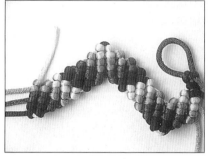

⑥轴心先编一个单结。

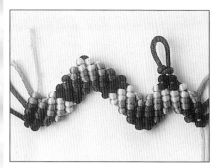

⑦再往下拉继续编 3 次顺时针斜卷结(小翅膀完成)。

⑩取 2400 尺金线 45cm×1 条，由大翅膀中央由下往上穿出,,然后编平结至所需长度。

⑧打边重复③~⑦步骤，编逆时针斜卷结。

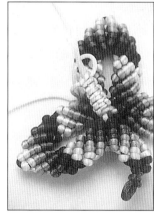

⑪2400 尺金线由二边大翅膀中央由上往下穿，再与轴心编两次平结固定，其余剪掉。

⑨将 1 由下往上穿入中心轴线处。

⑫将余线剪掉，粘上别针即成。

虾钥匙圈

①取 95cm×1 条先编双联结。

4号线
1　　110 cm
2　　110 cm
3　　100 cm
4　　80 cm
5(轴)　150 cm

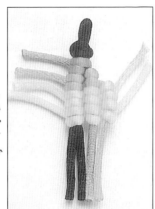

④以右2为轴，依右3、右4编顺时针斜卷结。

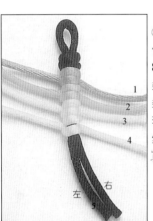

②以5为轴依序挂上85cm×2条，75cm×2条。挂上即套上斜卷结。

1
2
3
4

左　右
5

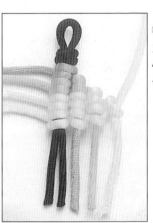

⑤以右3为轴，依右4编顺时针斜卷结。

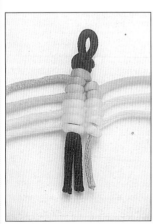

③以右1为轴，依右2、右3、右4编顺进针斜卷结。

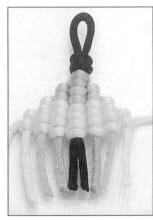

⑥左边重复步骤③~⑤的作法，以逆时针编斜卷结。

⑦以右 4 为轴，向左拉直编右 3、右 2、右 1、右 5，左 5、左 1、左 2、左 3、左 4，顺时针斜卷结（右 4 放掉不编）。

⑩以左 3 为轴，依左 2、左 1、左 5、右 5、右 1、右 2 编逆时针斜卷结（左 3 放掉不编）。

⑧以左 4 为轴，向右拉直依左 3、左 2、左 1、左 5、右 5、右 1、右 2、右 3 编逆时针斜卷结（左 4 放掉不编）。

⑪以右 2 为轴，依右 1、左 5、左 1、左 2 编顺时针斜卷结（右 2 放掉不编）。

⑨以右 3 为轴，依右 2、右 1、右 5、左 5、左 1、左 2、左 3 编顺时针斜卷结（右 3 放掉不编）。

⑫以左 2 为轴，编左 1，左 5，右 5，右 1 为逆时针斜卷结（左 2 放掉不编）。

⑬以右1为轴，依右5、左5、左1编顺时针斜卷结（右1放掉不编）。

⑯将左3、右3、左4、右4两组线分别打死结并塞入肚子内。

⑭以左1为轴，依左5、右5编逆时针斜卷结（左1放掉不编）。

⑰其余以2400尺20cm金线固定，每条线各打一个死结（依自己喜欢的长度），再将多余的线剪掉。

⑮右5为轴，编左5为顺时针斜卷结。

⑱粘上活动眼睛，加钥匙圈及铃铛即成。

鲽情依依项链、挂饰

① 8 尺一条（深色）线先编一个双联结。

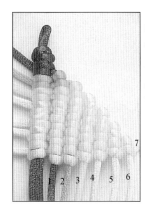

④重复②、③做至以右6轴心，编右7为顺时针的斜卷结。

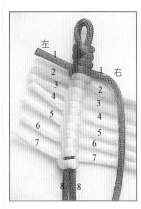

②再分别将 8 尺×1 条（深色），7 尺×2 条（中色、浅色各一条），5 尺×4 条（米色）挂上，依右 1 为中心向下拉直。

⑤左边与右边编法相同，但左边为逆时针编。

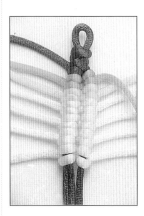

③依右 2、右 3、右 4、右 5、右 6、右 7 编顺时针斜卷结。

⑥右 7 往左拉直，依右 6、右 5、右 4、右 3、右 2、右 1、右 8、左 8、左 1、左 2、左 3、左 4、左 5、左 6、左 7 编顺时钟斜卷结（右 7 放掉不编）。

左7

⑦左7向右拉直，依左6、左5、左4、左3、左2、左1、左8、右8、右1、右2、右3、右4、右5、右6编顺时针斜卷结（左7放掉）。

⑩将右1与其余不用的线全部剪掉烧黏。

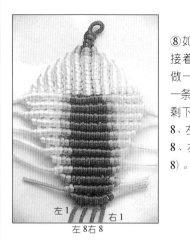

左1　右1
左8右8

⑧如此重复接着做，每做一层放掉一条不做（只剩下右1、右8、左1、右8、左1、左8）。

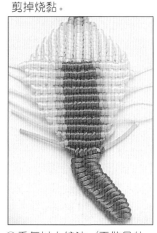

⑪重复以上编法（再做另外一片，编尾部时注意方向相反）。

⑨放掉右1，以左8、左1为轴，右8编麦穗结至所需长度（两条轴心厚度才够）。

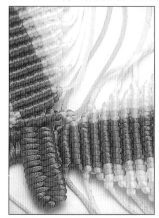

⑫下部靠近尾部一组先以斜卷结方式组合，并将线头放入两片身体中央。

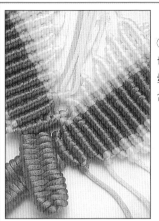

⑬第二组也以斜卷结方式组合。

⑯将所有线头皆塞入肚子内（增加肚子厚实感）。

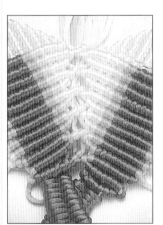

⑭第三至六组也以斜卷方式组合。

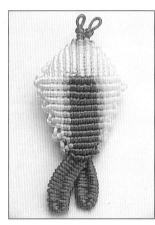

⑰剩线塞入身体，多余剪掉，上半部用强力胶粘合。

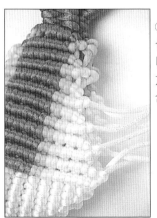

⑮上半部也由尾部以斜卷结方式组合。

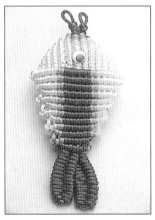

⑱装上眼睛即成。

钱蛙招财物

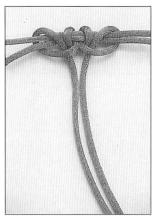

①取 90cm 两条为轴,先做一套结,左右再各做半套(上嘴完成)。

④左右再分别以 12、11、10 为轴编 13、14、15、16 的顺时针及逆时针斜卷结(背部完成)。

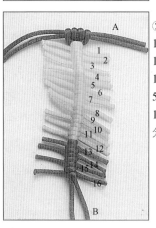

② 依序将 100cm 四条,130cm 四条,130cm 一条,50cm 三条,150cm 四条分别挂上。

⑤ 以 40cm 一条为轴,50cm 一条为挂线,重复步骤①,再做一个下嘴。

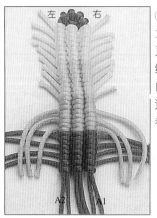

③右边以 A1 为轴向下拉直,将所有的线编顺时针方向斜卷结,左边编逆时针斜卷结。

⑥ 将⑤与④组合,以 C 为轴将所有的线右边编顺时针斜卷结,左边编逆时针斜卷结。

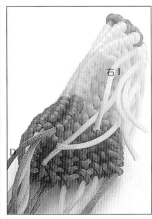

⑦ D1、D2 先交叉再编一个斜卷结。翻过来做腹部。

⑩将加入50cm四条向上拉直，连续编四排斜卷结（手部完成）。

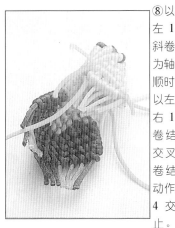

⑧以右1为轴，左1编顺时针斜卷结；以右2为轴，编左1为顺时针斜卷结；以左2为轴，编右1逆时针斜卷结；左右再交叉编一次斜卷结。反复此动作至右4、左4交叉编完为止。

⑪再以右7、左7为轴交叉互编一排斜卷结。

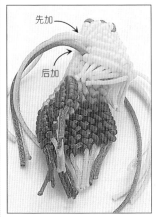

先加
后加

⑨加入50cm两条，继续编右5、左5的斜卷结，中心交叉需要再编一次，再加入50cm两条，继续编右6、左6的斜卷结。

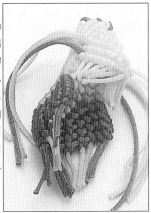

⑫以右1为轴心，编右8、右9、右13、右14、右15、右16的顺时针斜卷结，左边编逆时针斜卷结。重复以上动作，至左16、右16编完为止。此时肚子完成。

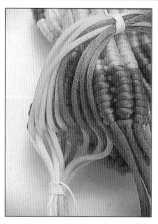

⑬将上半部轴心与挂线除外的其余 18 条线分别分成 9 条一组,以上下交叉方式形成两层(上下各一组)。

⑮上组以 A1、A2 为轴(双线),各编三排斜卷结(如果想要有声音,先放入铃铛再组合)。

⑭下组以 B1、B2 为轴各编一层斜卷结。

正面。

⑯将所有的线头剪掉,黏上眼睛与装饰即完成。

仙鹿摆饰

身体部分

包塞线

①先取 172 号或 2 号线 3 尺×1 条, 折成 12 段, 再与 3 支 18 号铁丝一起用胶带固定, 取 10 尺 (4 尺, 6 尺) 16 条线, 分成 8 条一股, 共两股, 先编吉祥结 1 次。

②编第二次吉祥结时, 将胶带固定好的线与铁丝放入固定, 再拉紧。

③连续编九次吉祥结。

④铁丝向上 (一长一短处) 折, 再编一次吉祥结, 线必须整齐, 身体完成。

颈部、头部

①较长的两股继续向上编吉祥结做头部与颈部, 16 条成 4 股, 每股 4 条, 编四次吉祥结。

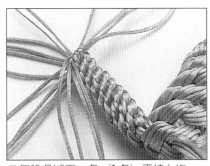

②每股各减下一条 (3 条) 再编九次。

前脚、后脚

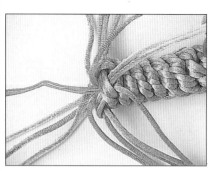

③加入原先减下的两条线（十字交叉），恢复每股 4 条编两次吉祥结。

①中间加入 2 条铁丝，将 16 条线分左右各 8 条。

④取大木珠套入 3 双铁丝，将其中 2 双铁丝折弯，只留下约 3cm 左右，其余剪掉。再编八次吉祥结，将木珠包住。

②一边 8 条，分成四股每股 2 条编六次吉祥结，每股各取 1 条绑在铁丝上面。每股剩 1 条。

⑤每股各剪下一条（三条）编一次，每股再减一条（二条），减掉铁丝再编 一次。

③用剩余 4 条编三次吉祥结。

④放下绑在铁丝上的 4 条,恢复每股 2 条,编二次吉祥结。

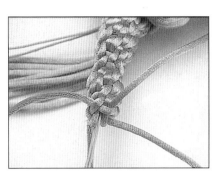

⑦剩下每股各 1 条时（总共 4 条）再编四次吉祥结。

⑤用间隔方式每层减掉 1 条。

⑧再剪 1 条, 只剩 3 条编吉祥结三次,铁丝留 3cm 其余剪掉（减掉的线编完第一次时剪掉）。

⑥重复步骤⑤, 将每层减掉的线剪掉。

⑨留长线 1 条, 另外 2 条分别留 3cm、1.5cm 后, 其余剪掉。

鹿角

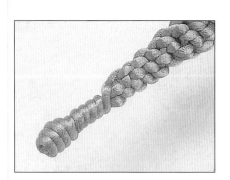

⑩用长线将剩余铁丝先绕住，再回包两圈后剪掉（形成蹄的形状）。

①小角：取 100cm×4 条（60cm，40cm）(每股 1 条)，以 40cm 长和半支铁丝一起编六次吉祥结，剪掉 1 条，3 条编八次吉祥结（最后一次需上点胶水）。

⑪前脚完成。

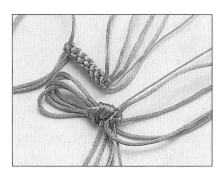

②中角：取 180cm×4 条（取中心一边先固定）和 1 支铁丝对折后先编吉祥结三次。

⑫后脚完成（后脚编法与前脚相同）。

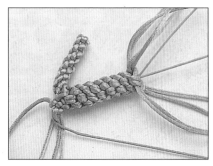

③和小角 60cm 的线组合，（每股 2 条）编十五次吉祥结（须一长一短为一股）。

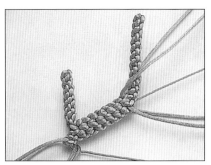

④将小角剩余的铁丝向上折弯，将③的短线分成两组，取短线每组4条（每股1条）编八次吉祥结，剪掉1条剩3条，再编十二次吉祥结。

⑦编法重复①~⑤，鹿角完成。

耳朵

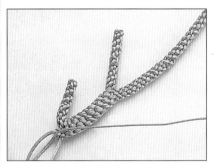

⑤大角：另一组长线（每股1条）编二十次吉祥结，剪掉1条剩3条，编二十次吉祥结。

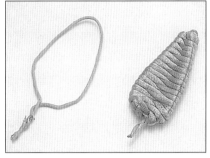

①用一条15cm的铁丝折成耳朵形状再用90cm×1条线编麦穗结完成（需做二片）。

⑥将另一半铁丝和另一半180cm的4条线共同穿进头顶中间的线后，继续编另一边角。

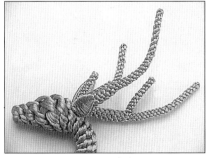

②耳朵再与鹿角组合在一起。

尾巴

①将剪下的剩线约 45cm×2 条如图穿入。

②编三次吉祥结，上一点胶水。

③留下 5cm 剪掉。

此时梅花鹿身体全部完成，黏上眼睛、鼻子即成。